Madame
pendue n° 3

éditions Bravo!

© 2010 Diane Ward, Brainteaser Publications, pour le concept
de l'édition originale
© 2013 Les Publications Modus Vivendi inc., pour l'édition française

Cet ouvrage est inspiré du livre paru chez Sterling Publishing Co.,
sous le titre *Hangwoman*

Publié par les Éditions Bravo! une division de
LES PUBLICATIONS MODUS VIVENDI INC.
55, rue Jean-Talon Ouest, 2e étage
Montréal (Québec) H2R 2W8
CANADA

www.groupemodus.com

Éditeur : Marc Alain
Éditrice déléguée : Isabelle Jodoin
Réviseure : Mireille Lévesque

ISBN 978-2-89670-096-7

Tous droits réservés. Aucune section de cet ouvrage ne peut
être reproduite, mémorisée dans un système central ou
transmise de quelque manière que ce soit ou par quelque
procédé électronique, mécanique, de photocopie, d'enregistrement
ou autre sans la permission écrite de l'éditeur.

Nous reconnaissons l'aide financière du Fonds du livre du Canada
pour nos activités d'édition.

Imprimé en Chine

COMMENT JOUER

L'objectif est de remplir les lettres manquantes au bas de la page pour y découvrir le mot mystère. Vous devez deviner le mot mystère en faisant le moins de mauvais choix de lettres possible. Grattez une pastille, à votre choix, sous une lettre. Si cette lettre figure dans le mot mystère, on vous indiquera où la placer dans l'ordre numéroté au bas de la page. Mais si vous choisissez une lettre qui n'appartient pas au mot mystère, la *madame* pendue vous montrera sa langue et vous devrez tracer une partie du corps sur l'échafaud.

Il y a six (6) parties du corps – deux bras, deux jambes, un corps et une tête. Vous avez donc six chances d'erreurs avant que la *madame* ne soit pendue ou pour découvrir le mot mystère.

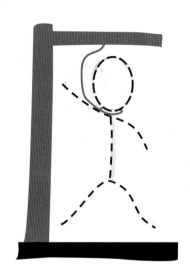

A	B	C	D	E	F	G	H
2, 11	10		8	9			

I	J	K	L	M	N	O	P	Q
3, 12			4, 5	1	13	6		

R	S	T	U	V	W	X	Y	Z
		7						

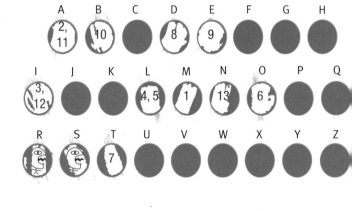

$$\overline{1}\ \overline{2}\ \overline{3}\ \overline{4}\ \overline{5}\ \overline{6}\ \overline{7}\ \quad \overline{8}\ \overline{9}\ \quad \overline{10}\ \overline{11}\ \overline{12}\ \overline{13}$$

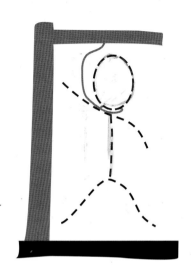

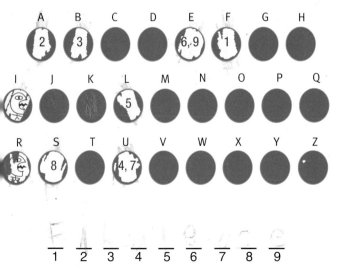

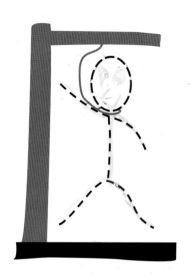

A 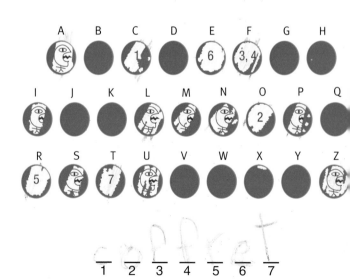 B C 1 D E 6 F 3,4 G H
I J K L M N O 2 P Q
R 5 S T 7 U V W X Y Z

_c_ _o_ _f_ _f_ _e_ _t_
1 2 3 4 5 6 7

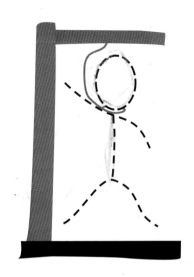

A	B	C	D	E	F	G	H
2		1					

I	J	K	L	M	N	O	P	Q
4			3		5			

R	S	T	U	V	W	X	Y	Z

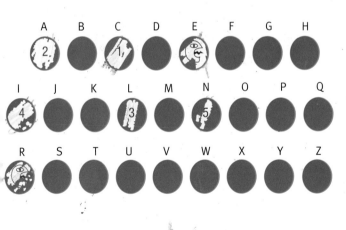

$$\frac{C}{1} \quad \frac{a}{2} \quad \frac{l}{3} \quad \frac{i}{4} \quad \frac{n}{5}$$

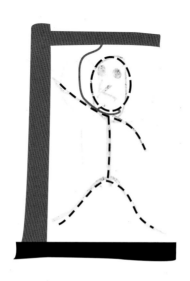

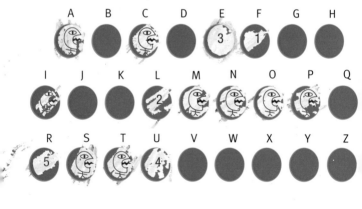

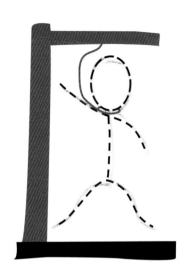

A	B	C	D	E	F	G	H
2,5		1	3	4			

I	J	K	L	M	N	O	P	Q

R	S	T	U	V	W	X	Y	Z
			6					

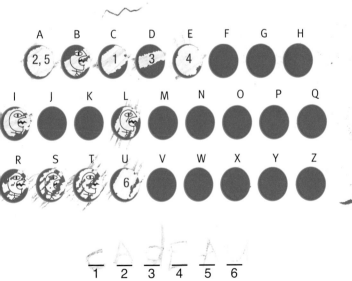

$$\overline{1} \quad \overline{2} \quad \overline{3} \quad \overline{4} \quad \overline{5} \quad \overline{6}$$

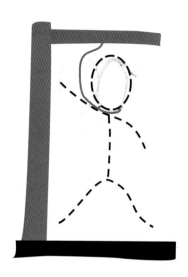

A B C D E F G H
I J K L M N O P Q
R S T U V W X Y Z

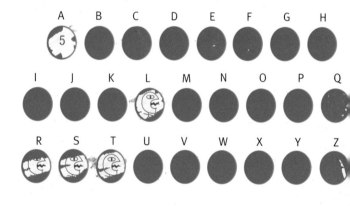

$$\overline{}\ \overline{}\ \overline{}\ \overline{}\ \overline{}\ \overline{}\ \overline{}\ \overline{}$$
1 2 3 4 5 6 7 8

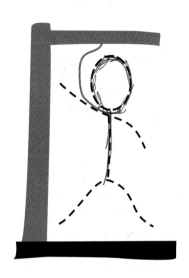

A	B	C	D	E	F	G	H

I	J	K	L	M	N	O	P	Q

R	S	T	U	V	W	X	Y	Z

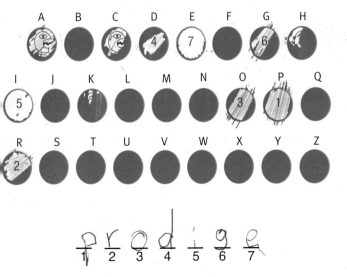

$$\underset{1}{p}\ \underset{2}{r}\ \underset{3}{o}\ \underset{4}{d}\ \underset{5}{i}\ \underset{6}{g}\ \underset{7}{e}$$

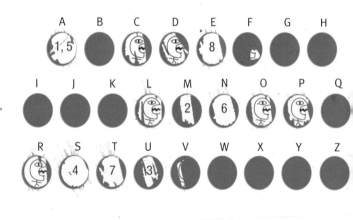

A M U S A N T E
1 2 3 4 5 6 7 8

12

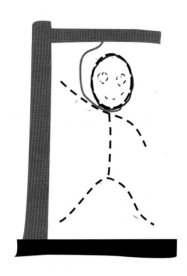

A	B	C	D	E	F	G	H
	6			2, 8			

I	J	K	L	M	N	O	P	Q
5			7		3			

R	S	T	U	V	W	X	Y	Z
	1, 4							

$$\underset{1}{S}\ \underset{2}{E}\ \underset{3}{N}\ \underset{4}{S}\ \underset{5}{I}\ \underset{6}{b}\ \underset{7}{I}\ \underset{8}{E}$$

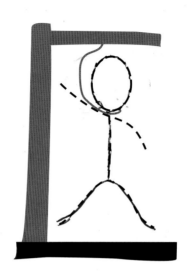

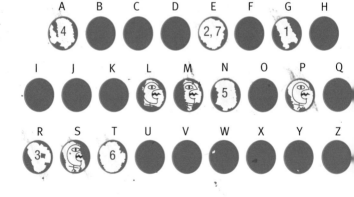

$$\underline{G}_1 \ \underline{E}_2 \ \underline{B}_3 \ \underline{A}_4 \ \underline{N}_5 \ \underline{I}_6 \ \underline{E}_7$$

A	B	C	D	E	F	G	H
3				5		4	

I	J	K	L	M	N	O	P	Q
			2				1	

R	S	T	U	V	W	X	Y	Z

P L A G E
1 2 3 4 5

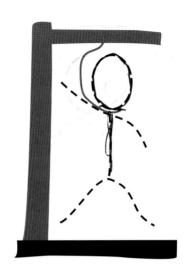

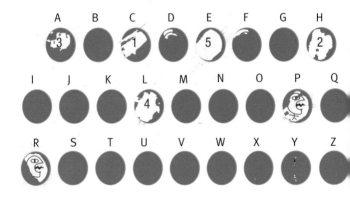

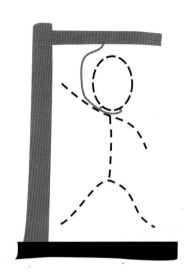

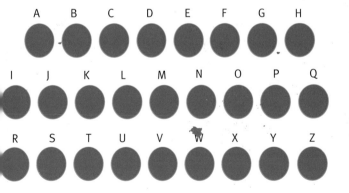

$$\overline{\quad}_1 \ \overline{\quad}_2 \ \overline{\quad}_3 \ \overline{\quad}_4 \ \overline{\quad}_5 \ \overline{\quad}_6 \ \overline{\quad}_7 \ \overline{\quad}_8 \ \overline{\quad}_9$$

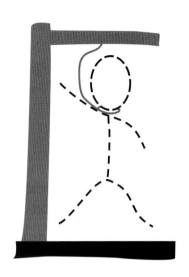

A B C D E F G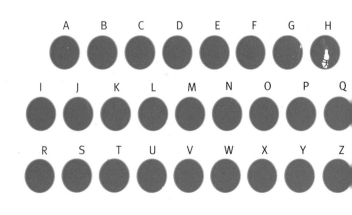

$$\overline{}_1 \ \overline{}_2 \ \overline{}_3 \ \overline{}_4 \ \overline{}_5 \ \overline{}_6 \ \overline{}_7 \ \overline{}_8$$

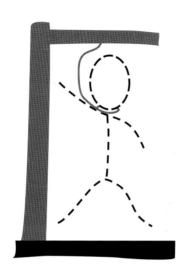

A B C D E F G H
I J K L M N O P Q
R S T U V W X Y Z

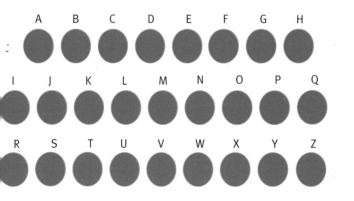

$$\overline{\quad} \ \overline{\quad} \ \overline{\quad} \ \overline{\quad} \ \overline{\quad} \ \overline{\quad}$$
1 2 3 4 5 6

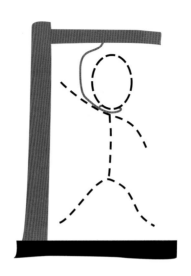

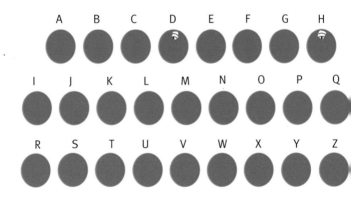

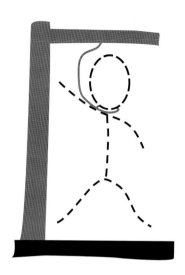

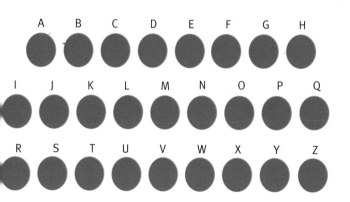

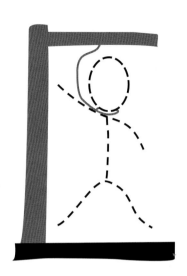

A B C D E F G H

I J K L M N O P Q

R S T U V W X Y Z

$\overline{}$ $\overline{}$ $\overline{}$ $\overline{}$ $\overline{}$ $\overline{}$ $\overline{}$ $\overline{}$ $\overline{}$
1 2 3 4 5 6 7 8 9

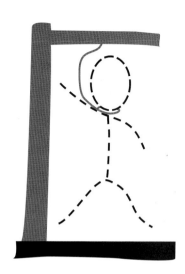

A B C D E F G H
I J K L M N O P Q
R S T U V W X Y Z

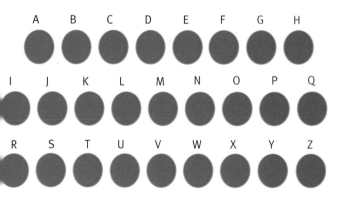

$\overline{}_1$ $\overline{}_2$ $\overline{}_3$ $\overline{}_4$ $\overline{}_5$ $\overline{}_6$ $\overline{}_7$ $\overline{}_8$

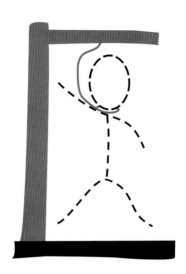

A B C D E F G H
I J K L M N O P Q
R S T U V W X Y Z

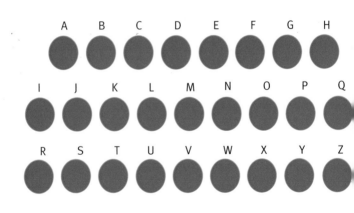

$$\overline{\ \ }\ \overline{\ \ }\ \overline{\ \ }\ \overline{\ \ }\ \overline{\ \ }\ \overline{\ \ }\ \overline{\ \ }\ \overline{\ \ }$$
1 2 3 4 5 6 7 8

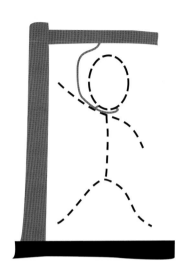

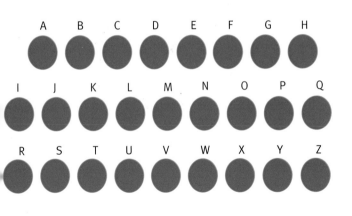

$\overline{}$ $\overline{}$ $\overline{}$ $\overline{}$ $\overline{}$ $\overline{}$ $\overline{}$ $\overline{}$ $\overline{}$ $\overline{}$
1 2 3 4 5 6 7 8 9 10

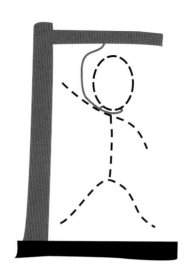

A B C D E F G H

I J K L M N O P Q

R S T U V W X Y Z

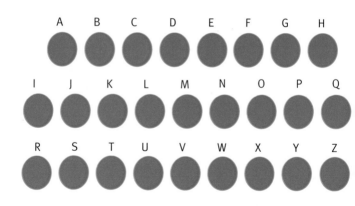

$$\overline{}_1 \quad \overline{}_2 \quad \overline{}_3 \quad \overline{}_4 \quad \overline{}_5$$

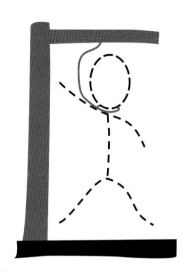

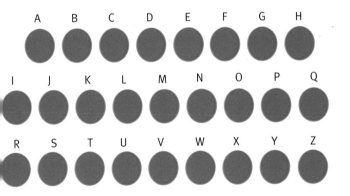

$$\overline{}_1 \quad \overline{}_2 \quad \overline{}_3 \quad \overline{}_4 \quad \overline{}_5 \quad \overline{}_6 \quad \overline{}_7$$

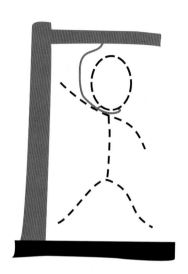

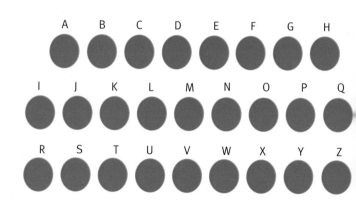

$\overline{}_1 \quad \overline{}_2 \quad \overline{}_3 \quad \overline{}_4 \quad \overline{}_5$

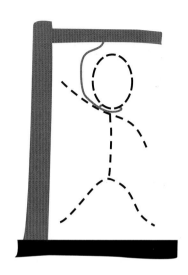

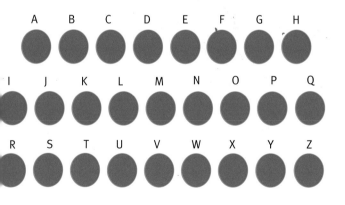

$$\overline{}_1 \ \overline{}_2 \ \overline{}_3 \ \overline{}_4 \ \overline{}_5 \ \overline{}_6 \ \overline{}_7 \ \overline{}_8 \ \overline{}_9$$

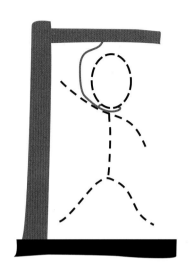

A   B   C   D   E   F   G   H

I   J   K   L   M   N   O   P   Q

R   S   T   U   V   W   X   Y   Z

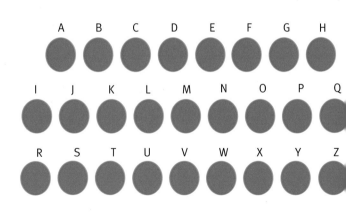

$\overline{}$ $\overline{}$ $\overline{}$ $\overline{}$ $\overline{}$ $\overline{}$ $\overline{}$ $\overline{}$ $\overline{}$ $\overline{}$
1   2   3   4   5   6   7   8   9   10

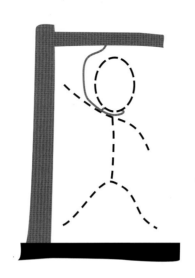

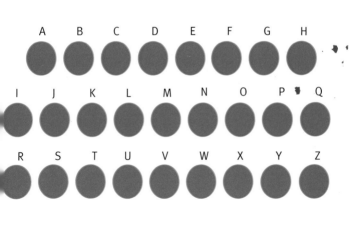

$\overline{}_1$ $\overline{}_2$ $\overline{}_3$ $\overline{}_4$ $\overline{}_5$ $\overline{}_6$ $\overline{}_7$ $\overline{}_8$ $\overline{}_9$

31

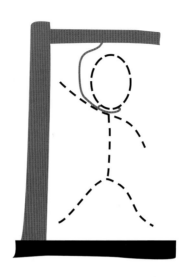

A B C D E F G H

I J K L M N O P Q

R S T U V W X Y Z

$\overline{}$ $\overline{}$ $\overline{}$ $\overline{}$ $\overline{}$ $\overline{}$ $\overline{}$ $\overline{}$
1 2 3 4 5 6 7 8

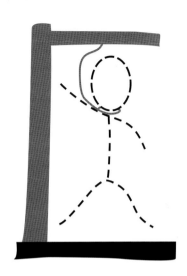

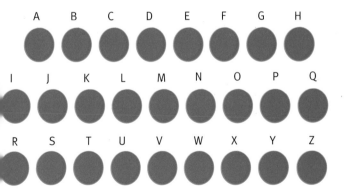

A B C D E F G H

I J K L M N O P Q

R S T U V W X Y Z

$\overline{1}$ $\overline{2}$ $\overline{3}$ $\overline{4}$ $\overline{5}$ $\overline{6}$ $\overline{7}$

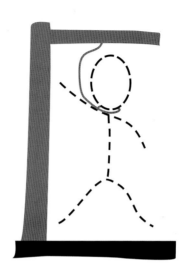

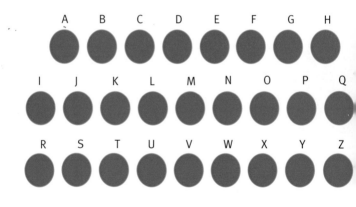

$$\overline{}_1 \quad \overline{}_2 \quad \overline{}_3 \quad \overline{}_4 \quad \overline{}_5 \quad \overline{}_6 \quad \overline{}_7 \quad \overline{}_8$$

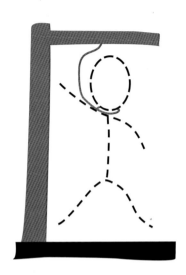

A B C D E F G H
I J K L M N O P Q
R S T U V W X Y Z

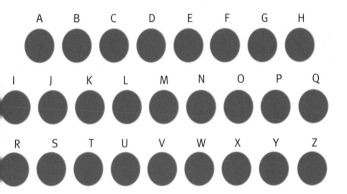

$\overline{}\overline{}\overline{}\overline{}\overline{}\overline{}\overline{}\overline{}$
1   2   3   4   5   6   7   8

A B C D E F G H
I J K L M N O P Q
R S T U V W X Y Z

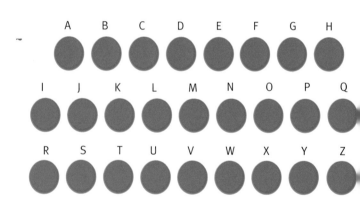

$\overline{}$ $\overline{}$ $\overline{}$ $\overline{}$ $\overline{}$ $\overline{}$ $\overline{}$ $\overline{}$ $\overline{}$ $\overline{}$ $\overline{}$
1 2 3 4 5 6 7 8 9 10 11

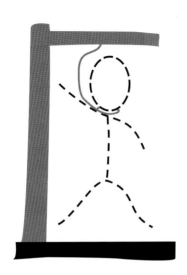

A B C D E F G H

I J K L M N O P Q

R S T U V W X Y Z

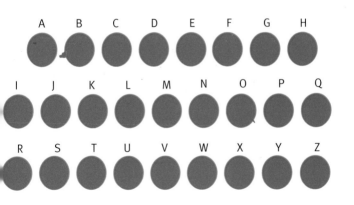

‾1‾ ‾2‾ ‾3‾ ‾4‾ ‾5‾ ‾6‾ ‾7‾ ‾8‾

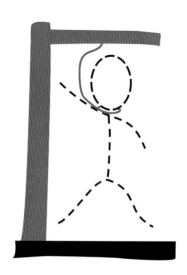

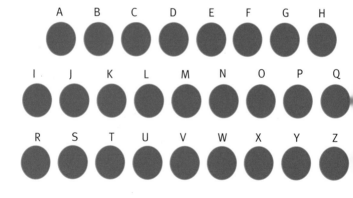

$\overline{}\ \overline{}\ \overline{}\ \overline{}$
1 2 3 4

A B C D E F G H

I J K L M N O P Q

R S T U V W X Y Z

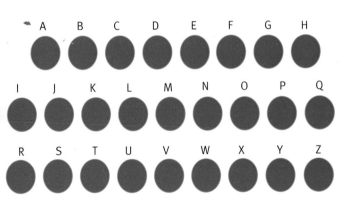

‾1‾ ‾2‾ ‾3‾ ‾4‾ ‾5‾ ‾6‾ ‾7‾ ‾8‾

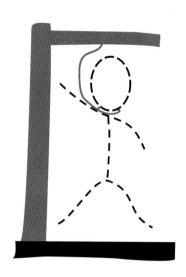

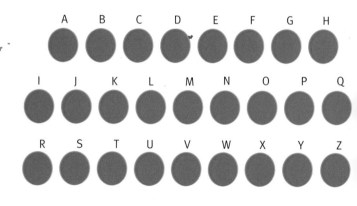

$$\overline{}\ \overline{}\ \overline{}$$
1 2 3

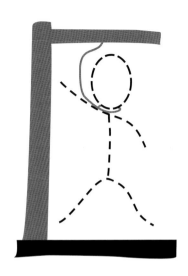

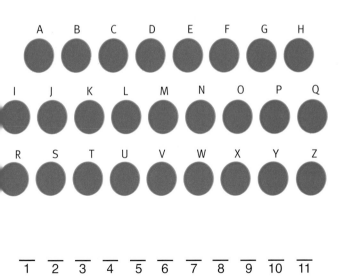

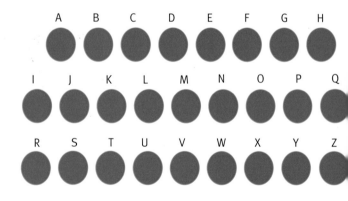

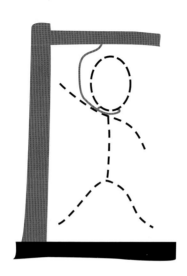

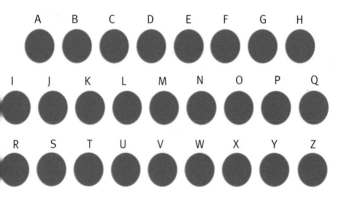

$$\overline{}_1 \quad \overline{}_2 \quad \overline{}_3 \quad \overline{}_4 \quad \overline{}_5 \quad \overline{}_6 \quad \overline{}_7 \quad \overline{}_8$$

43

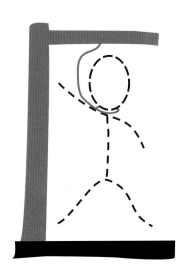

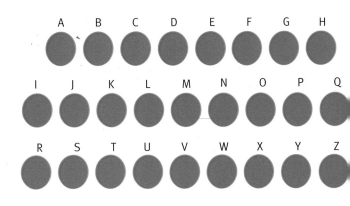

$$\overline{}_1 \quad \overline{}_2 \quad \overline{}_3 \quad \overline{}_4 \quad \overline{}_5 \quad \overline{}_6 \quad \overline{}_7$$

44

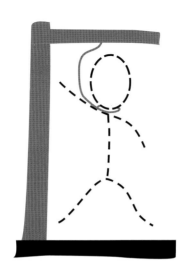

A B C D E F G H

I J K L M N O P Q

R S T U V W X Y Z

$\overline{}$ $\overline{}$ $\overline{}$ $\overline{}$ $\overline{}$ $\overline{}$ $\overline{}$ $\overline{}$ $\overline{}$
1 2 3 4 5 6 7 8 9

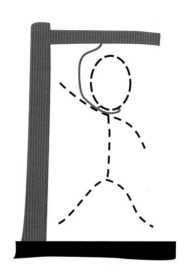

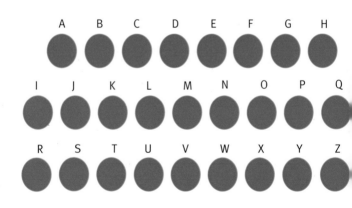

$$\overline{\quad}\ \overline{\quad}\ \overline{\quad}\ \overline{\quad}$$
$$1\quad2\quad3\quad4$$

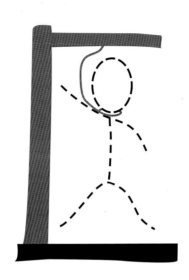

A B C D E F G H
I J K L M N O P Q
R S T U V W X Y Z

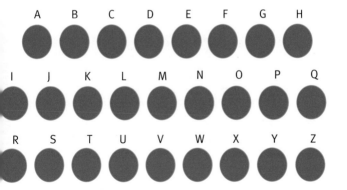

$\overline{1}\ \overline{2}\ \overline{3}\ \overline{4}\ \overline{5}\ \overline{6}\ \overline{7}$

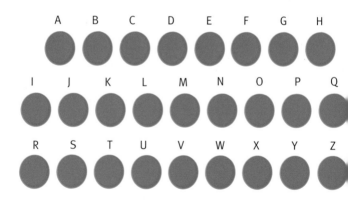

$\overline{\quad}$ $\overline{\quad}$ $\overline{\quad}$ $\overline{\quad}$ $\overline{\quad}$ $\overline{\quad}$ $\overline{\quad}$
1　　2　　3　　4　　5　　6　　7

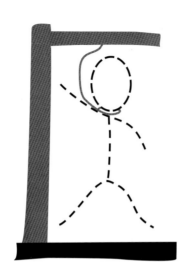

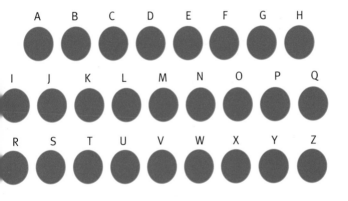

$\overline{}_{1}$ $\overline{}_{2}$ $\overline{}_{3}$ $\overline{}_{4}$ $\overline{}_{5}$ $\overline{}_{6}$ $\overline{}_{7}$ $\overline{}_{8}$ $\overline{}_{9}$ $\overline{}_{10}$

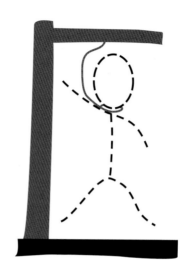

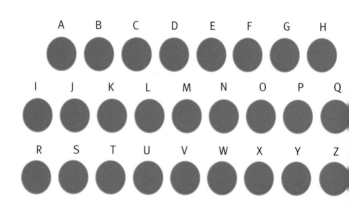

$$\overline{}_1 \quad \overline{}_2 \quad \overline{}_3 \quad \overline{}_4 \quad \overline{}_5 \quad \overline{}_6 \quad \overline{}_7 \quad \overline{}_8$$

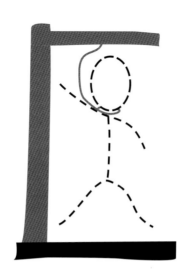

A B C D E F G H

I J K L M N O P Q

R S T U V W X Y Z

$\overline{}$ $\overline{}$ $\overline{}$ $\overline{}$ $\overline{}$ $\overline{}$ $\overline{}$
1 2 3 4 5 6 7

A	B	C	D	E	F	G	H
I	J	K	L	M	N	O	P	Q
R	S	T	U	V	W	X	Y	Z

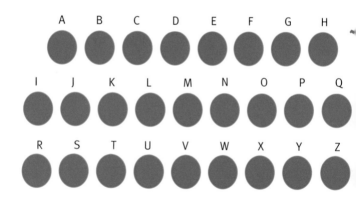

$$\overline{}\ \overline{}\ \overline{}\ \overline{}\ \overline{}\ \overline{}\ \overline{}\ \overline{}$$
1 2 3 4 5 6 7 8

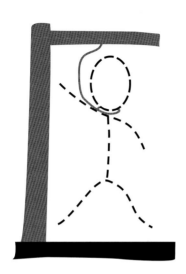

A B C D E F G H

I J K L M N O P Q

R S T U V W X Y Z

$$\overline{}\ \overline{}\ \overline{}\ \overline{}\ \overline{}\ \overline{}\ \overline{}\ \overline{}$$

1 2 3 4 5 6 7 8

A B C D E F G H

I J K L M N O P Q

R S T U V W X Y Z

$\overline{1}$ $\overline{2}$ $\overline{3}$ $\overline{4}$ $\overline{5}$ $\overline{6}$ $\overline{7}$ $\overline{8}$ $\overline{9}$ $\overline{10}$ $\overline{11}$ $\overline{12}$ $\overline{13}$

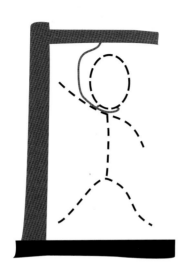

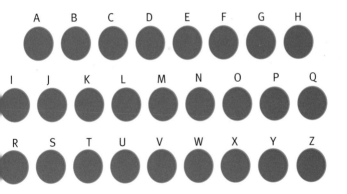

$\overline{1}$ $\overline{2}$ $\overline{3}$ $\overline{4}$ $\overline{5}$

55

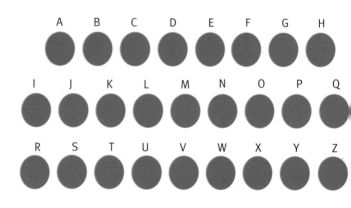

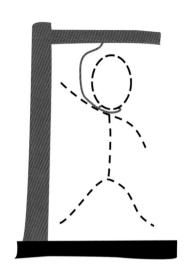

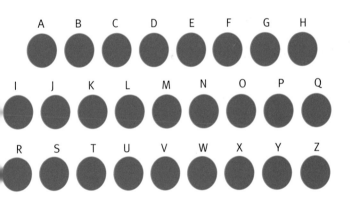

$$\overline{\rule{1em}{0pt}}_{1} \quad \overline{\rule{1em}{0pt}}_{2} \quad \overline{\rule{1em}{0pt}}_{3} \quad \overline{\rule{1em}{0pt}}_{4} \quad \overline{\rule{1em}{0pt}}_{5} \quad \overline{\rule{1em}{0pt}}_{6} \quad \overline{\rule{1em}{0pt}}_{7} \quad \overline{\rule{1em}{0pt}}_{8} \quad \overline{\rule{1em}{0pt}}_{9} \quad \overline{\rule{1em}{0pt}}_{10} \quad \overline{\rule{1em}{0pt}}_{11}$$

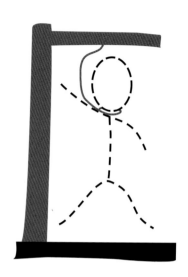

A B C D E F G H

I J K L M N O P Q

R S T U V W X Y Z

$\overline{}_{1}$ $\overline{}_{2}$ $\overline{}_{3}$ $\overline{}_{4}$ $\overline{}_{5}$ $\overline{}_{6}$ $\overline{}_{7}$

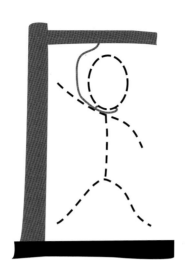

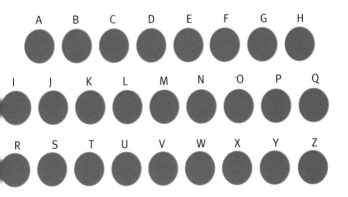

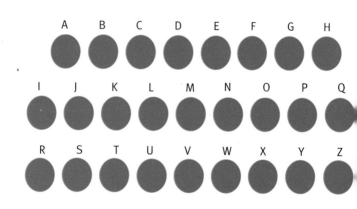

$$\overline{}_{1} \quad \overline{}_{2} \quad \overline{}_{3} \quad \overline{}_{4} \quad \overline{}_{5} \quad \overline{}_{6} \quad \overline{}_{7}$$

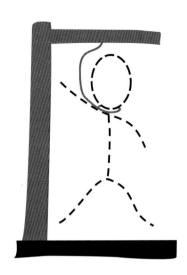

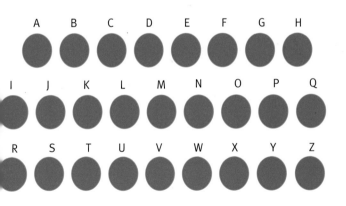

$\overline{}$ $\overline{}$ $\overline{}$ $\overline{}$ $\overline{}$ $\overline{}$ $\overline{}$
1   2   3   4   5   6   7

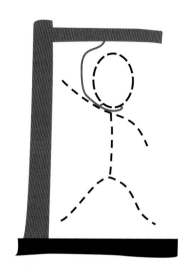

A B C D E F G H

I J K L M N O P Q

R S T U V W X Y Z

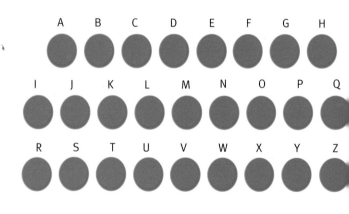

$\overline{1}$ $\overline{2}$ $\overline{3}$ $\overline{4}$ $\overline{5}$ $\overline{6}$ $\overline{7}$

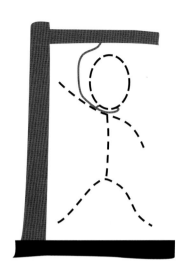

A B C D E F G H

I J K L M N O P Q

R S T U V W X Y Z

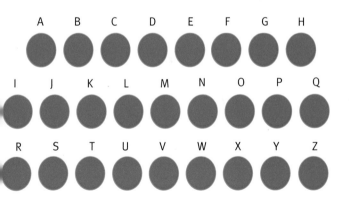

$\overline{}_1$ $\overline{}_2$ $\overline{}_3$ $\overline{}_4$ $\overline{}_5$ $\overline{}_6$ $\overline{}_7$ $\overline{}_8$ $\overline{}_9$ $\overline{}_{10}$

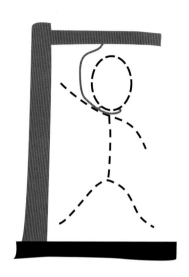

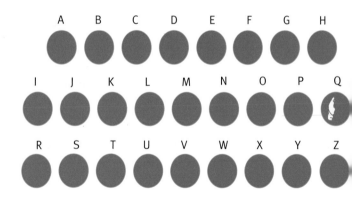

$$\overline{}_1 \quad \overline{}_2 \quad \overline{}_3 \quad \overline{}_4 \quad \overline{}_5 \quad \overline{}_6$$

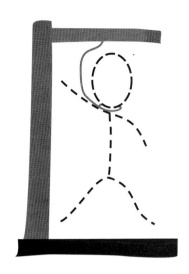

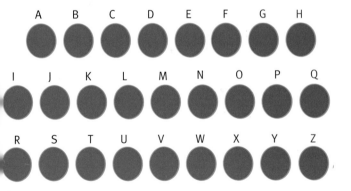

$$\overline{}_1 \quad \overline{}_2 \quad \overline{}_3 \quad \overline{}_4 \quad \overline{}_5$$

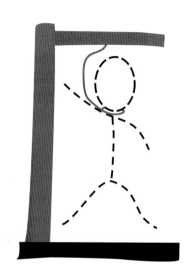

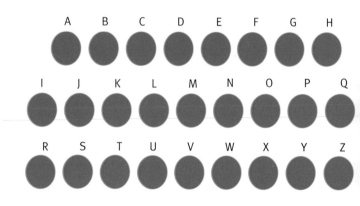

A B C D E F G H

I J K L M N O P Q

R S T U V W X Y Z

$$\overline{1} \quad \overline{2} \quad \overline{3} \quad \overline{4} \quad \overline{5}$$

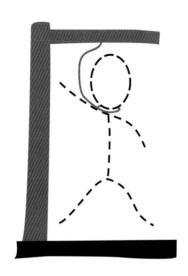

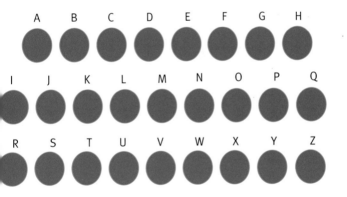

$$\overline{}_1 \quad \overline{}_2 \quad \overline{}_3 \quad \overline{}_4 \quad \overline{}_5 \quad \overline{}_6 \quad \overline{}_7 \quad \overline{}_8$$

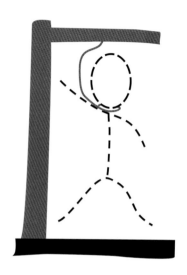

A B C D E F G H

I J K L M N O P Q

R S T U V W X Y Z

$\overline{\quad}_1 \overline{\quad}_2 \overline{\quad}_3 \overline{\quad}_4$

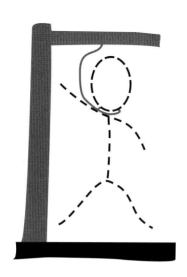

A B C D E F G H

I J K L M N O P Q

R S T U V W X Y Z

$\overline{}_{1}$ $\overline{}_{2}$ $\overline{}_{3}$ $\overline{}_{4}$ $\overline{}_{5}$ $\overline{}_{6}$ $\overline{}_{7}$ $\overline{}_{8}$

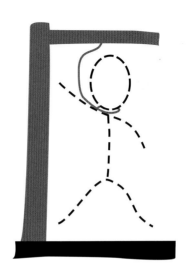

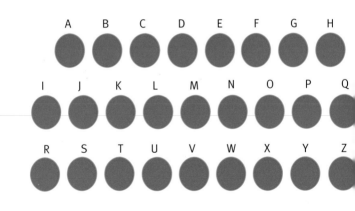

$$\overline{}_1 \quad \overline{}_2 \quad \overline{}_3 \quad \overline{}_4 \quad \overline{}_5$$

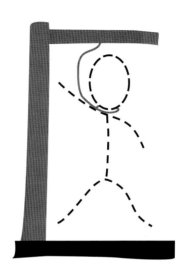

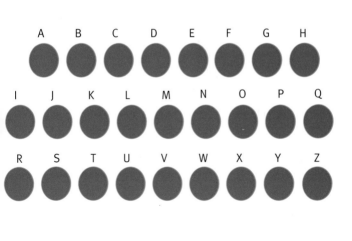

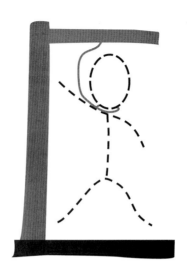

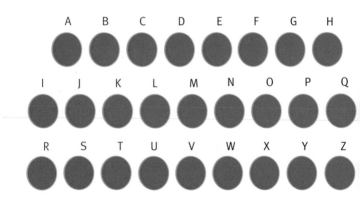

A B C D E F G H

I J K L M N O P Q

R S T U V W X Y Z

$\overline{}_1$ $\overline{}_2$ $\overline{}_3$ $\overline{}_4$ $\overline{}_5$ $\overline{}_6$ $\overline{}_7$ $\overline{}_8$

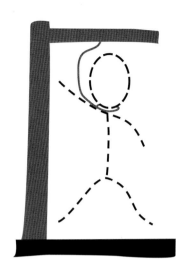

A B C D E F G H

I J K L M N O P Q

R S T U V W X Y Z

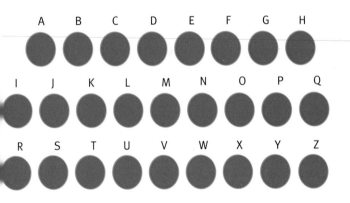

$$\overline{1}\ \overline{2}\ \overline{3}\ \overline{4}\ \overline{5}\ \overline{6}\ \overline{7}\ \overline{8}\ \overline{9}\ \overline{10}$$

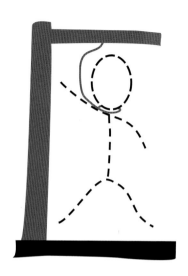

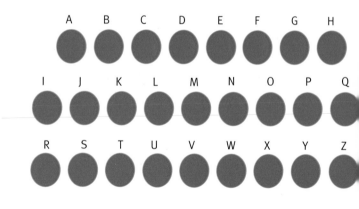

$$\overline{}_{1} \quad \overline{}_{2} \quad \overline{}_{3} \quad \overline{}_{4} \quad \overline{}_{5} \quad \overline{}_{6}$$

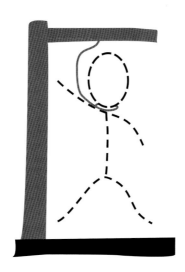

A B C D E F G H

I J K L M N O P Q

R S T U V W X Y Z

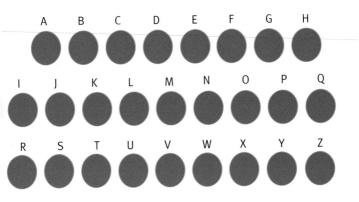

$\overline{}$ $\overline{}$ $\overline{}$ $\overline{}$ $\overline{}$ $\overline{}$ $\overline{}$ $\overline{}$
1 2 3 4 5 6 7 8

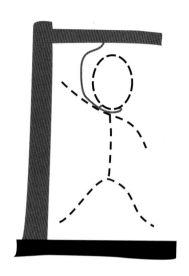

A B C D E F G H

I J K L M N O P Q

R S T U V W X Y Z

$$\overline{}_1 \ \overline{}_2 \ \overline{}_3 \ \overline{}_4 \ \overline{}_5 \ \overline{}_6 \ \overline{}_7$$

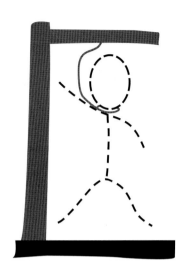

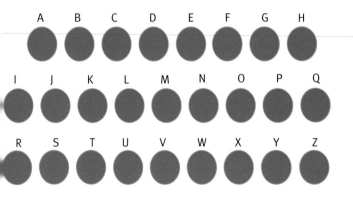

$$\overline{}_1 \quad \overline{}_2 \quad \overline{}_3 \quad \overline{}_4 \quad \overline{}_5 \quad \overline{}_6 \quad \overline{}_7 \quad \overline{}_8$$

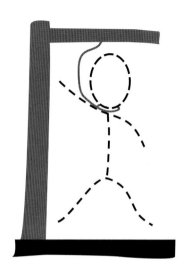

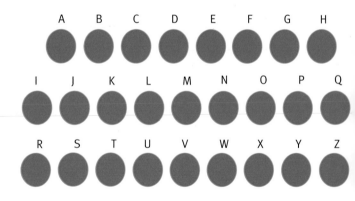

$$\overline{}\ \overline{}\ \overline{}\ \overline{}\ \overline{}\ \overline{}\ \overline{}$$

1 2 3 4 5 6 7

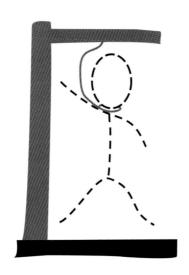

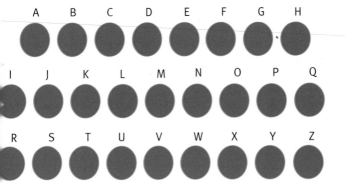

$\overline{}$ $\overline{}$ $\overline{}$ $\overline{}$ $\overline{}$ $\overline{}$ $\overline{}$ $\overline{}$ $\overline{}$ $\overline{}$ $\overline{}$
1   2   3   4   5   6   7   8   9   10   11

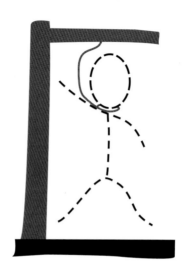

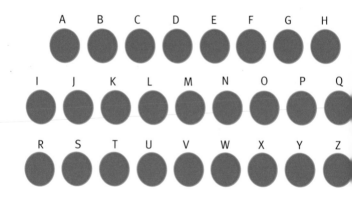

A B C D E F G H
I J K L M N O P Q
R S T U V W X Y Z

$$\overline{}_1 \ \overline{}_2 \ \overline{}_3 \ \overline{}_4 \ \overline{}_5 \ \overline{}_6 \ \overline{}_7 \ \overline{}_8$$

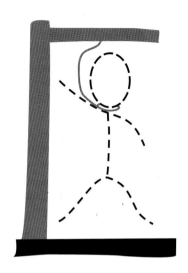

A B C D E ◄ F G H

I J K L M N O P Q

R S T U V W X Y Z

$\overline{}\ \overline{}\ \overline{}\ \overline{}\ \overline{}\ \overline{}\ \overline{}$

1 2 3 4 5 6 7

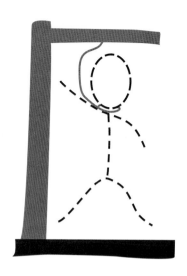

A   B   C   D   E   F   G   H

I   J   K   L   M   N   O   P   Q

R   S   T   U   V   W   X   Y   Z

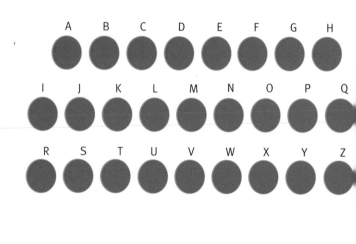

$\overline{\quad}$ $\overline{\quad}$ $\overline{\quad}$ $\overline{\quad}$ $\overline{\quad}$ $\overline{\quad}$ $\overline{\quad}$ $\overline{\quad}$ $\overline{\quad}$ $\overline{\quad}$
1 2 3 4 5   6 7   8 9 10

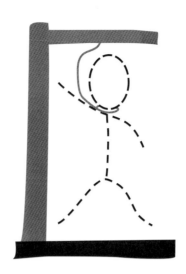

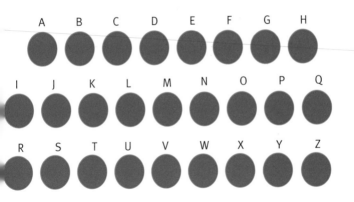

$$\overline{}_1 \ \overline{}_2 \ \overline{}_3 \ \overline{}_4 \ \overline{}_5 \ \overline{}_6 \ \overline{}_7 \ \overline{}_8$$

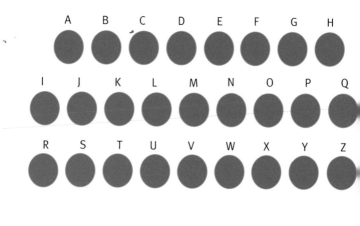

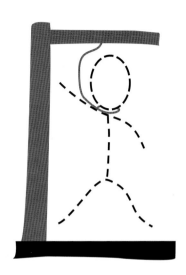

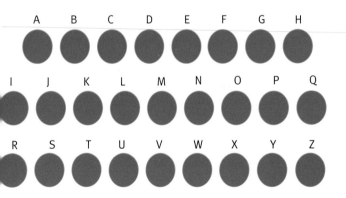

$$\overline{}_1 \quad \overline{}_2 \quad \overline{}_3 \quad \overline{}_4$$

85

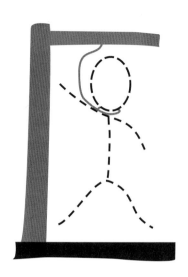

A B C D E F G H
I J K L M N O P Q
R S T U V W X Y Z

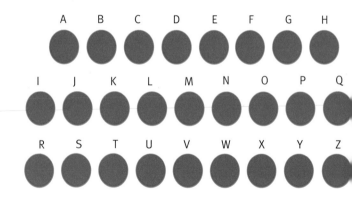

$$\overline{}\ \overline{}\ \overline{}\ \overline{}\ \overline{}$$
1 2 3 4 5

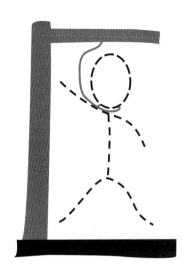

A B C D E F G H
I J K L M N O P Q
R S T U V W X Y Z

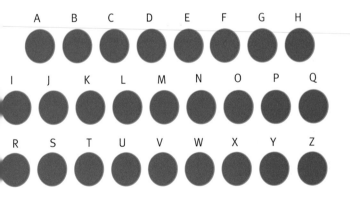

$\overline{}$ $\overline{}$ $\overline{}$ $\overline{}$ $\overline{}$ $\overline{}$ $\overline{}$ $\overline{}$ $\overline{}$
1 2 3 4 5 6 7 8 9

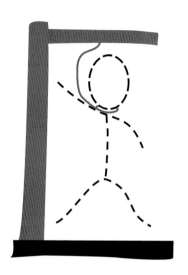

A B C D E F G H
I J K L M N O P Q
R S T U V W X Y Z

$$\overline{}_1 \ \overline{}_2 \ \overline{}_3 \ \overline{}_4 \ \overline{}_5 \ \overline{}_6 \ \overline{}_7 \ \overline{}_8 \ \overline{}_9 \ \overline{}_{10}$$

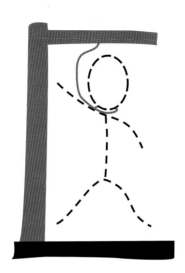

A B C D E F G H
I J K L M N O P Q
R S T U V W X Y Z

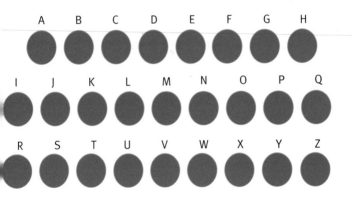

$\overline{1}$ $\overline{2}$ $\overline{3}$ $\overline{4}$ $\overline{5}$ $\overline{6}$

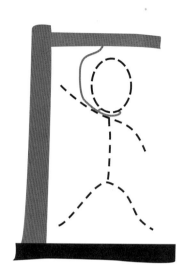

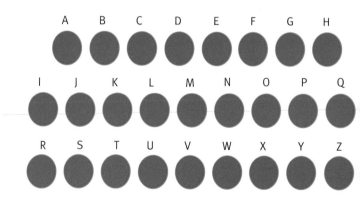

A   B   C   D   E   F   G   H

I   J   K   L   M   N   O   P   Q

R   S   T   U   V   W   X   Y   Z

$\overline{}_{1}$ $\overline{}_{2}$ $\overline{}_{3}$ $\overline{}_{4}$ $\overline{}_{5}$ $\overline{}_{6}$ $\overline{}_{7}$ $\overline{}_{8}$

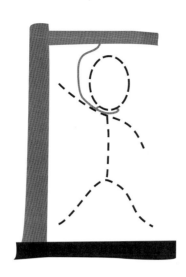

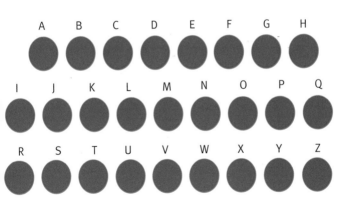

$$\overline{}_1 \ \overline{}_2 \ \overline{}_3 \ \overline{}_4 \ \overline{}_5 \ \overline{}_6 \ \overline{}_7$$

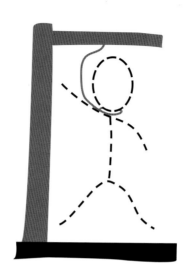

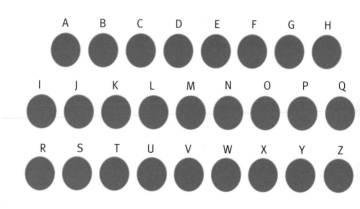

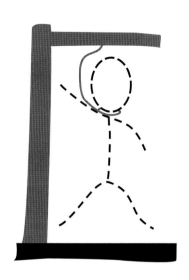

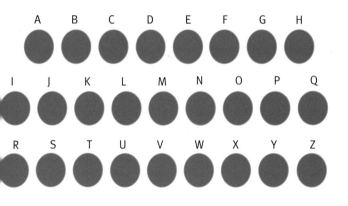

$\overline{}_1 \quad \overline{}_2 \quad \overline{}_3 \quad \overline{}_4 \quad \overline{}_5 \quad \overline{}_6 \quad \overline{}_7 \quad \overline{}_8 \quad \overline{}_9 \quad \overline{}_{10}$

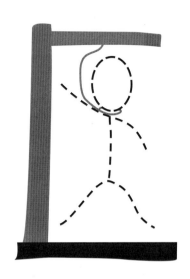

A B C D E F G H
I J K L M N O P Q
R S T U V W X Y Z

$\overline{\quad}$ $\overline{\quad}$ $\overline{\quad}$ $\overline{\quad}$ $\overline{\quad}$ $\overline{\quad}$ $\overline{\quad}$
1 2 3 4 5 6 7

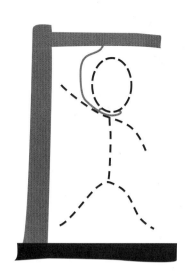

A B C D E F G H

I J K L M N O P Q

R S T U V W X Y Z

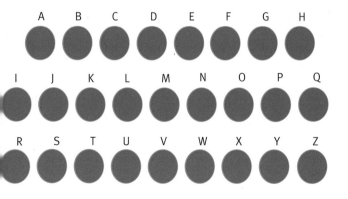

$\overline{}_{1}$ $\overline{}_{2}$ $\overline{}_{3}$ $\overline{}_{4}$ $\overline{}_{5}$ $\overline{}_{6}$

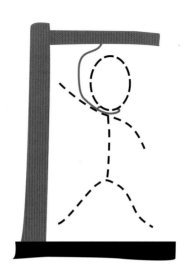

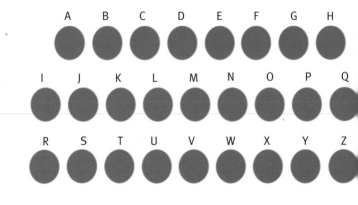

$$\overline{}_1 \quad \overline{}_2 \quad \overline{}_3 \quad \overline{}_4 \quad \overline{}_5 \quad \overline{}_6$$

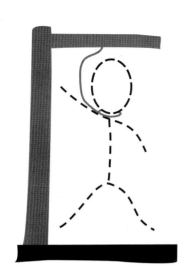

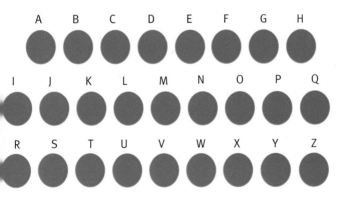

$$\overline{}_1 \quad \overline{}_2 \quad \overline{}_3 \quad \overline{}_4 \quad \overline{}_5 \quad \overline{}_6 \quad \overline{}_7$$

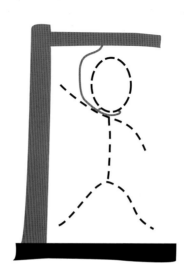

A B C D E F G H

I J K L M N O P Q

R S T U V W X Y Z

$\overline{}$ $\overline{}$ $\overline{}$ $\overline{}$ $\overline{}$ $\overline{}$ $\overline{}$ $\overline{}$ $\overline{}$
1 2 3 4 5 6 7 8 9

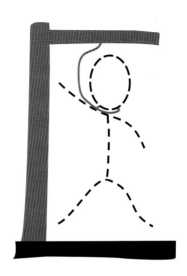

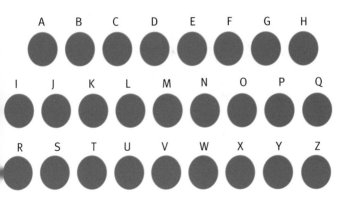

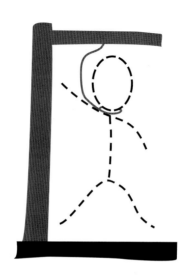

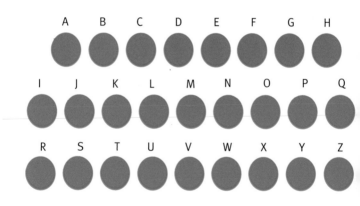

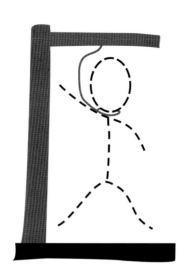

A B C D E F G H
I J K L M N O P Q
R S T U V W X Y Z

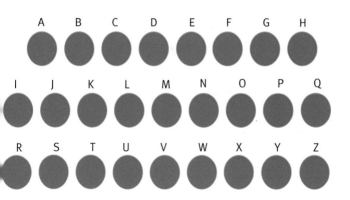

$\overline{} \ \overline{} \ \overline{} \ \overline{} \ \overline{} \ \overline{} \ \overline{} \ \overline{} \ \overline{} \ \overline{}$
1 2 3 4 5 6 7 8 9 10

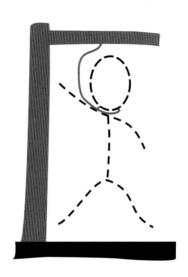

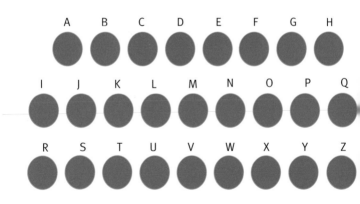

A B C D E F G H

I J K L M N O P Q

R S T U V W X Y Z

$\overline{}_{1}$ $\overline{}_{2}$ $\overline{}_{3}$ $\overline{}_{4}$ $\overline{}_{5}$

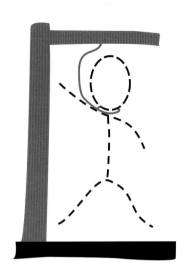

A B C D E F G H
I J K L M N O P Q
R S T U V W X Y Z

$\overline{1}$ $\overline{2}$ $\overline{3}$ $\overline{4}$

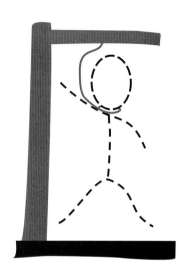

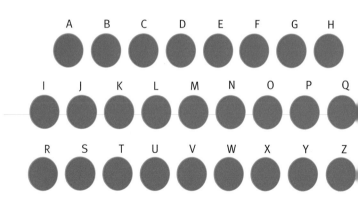

$$\overline{}_1 \ \overline{}_2 \ \overline{}_3 \ \overline{}_4 \ \overline{}_5 \ \overline{}_6 \ \overline{}_7 \ \overline{}_8$$

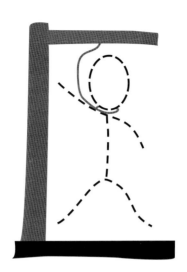

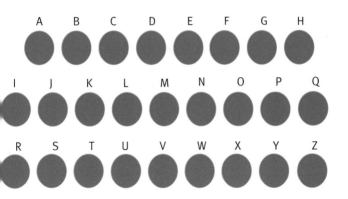

$$\overline{}_1 \quad \overline{}_2 \quad \overline{}_3 \quad \overline{}_4 \quad \overline{}_5 \quad \overline{}_6 \quad \overline{}_7$$

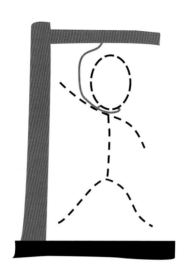

A B C D E F G H
I J K L M N O P Q
R S T U V W X Y Z

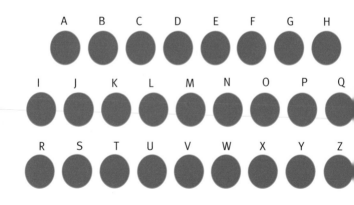

$\overline{\hphantom{1}}_{1}$ $\overline{\hphantom{2}}_{2}$ $\overline{\hphantom{3}}_{3}$ $\overline{\hphantom{4}}_{4}$ $\overline{\hphantom{5}}_{5}$ $\overline{\hphantom{6}}_{6}$ $\overline{\hphantom{7}}_{7}$ $\overline{\hphantom{8}}_{8}$ $\overline{\hphantom{9}}_{9}$ $\overline{\hphantom{10}}_{10}$

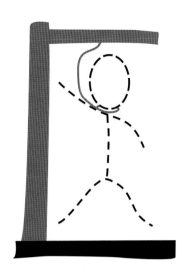

A B C D E F G H

I J K L M N O P Q

R S T U V W X Y Z

$\overline{1}$ $\overline{2}$ $\overline{3}$ $\overline{4}$ $\overline{5}$ $\overline{6}$

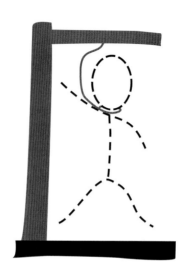

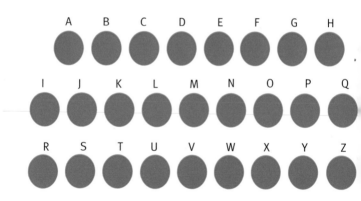

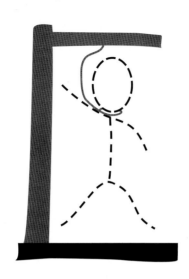

A B C D E F G H

I J K L M N O P Q

R S T U V W X Y Z

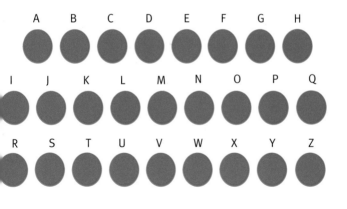

$\overline{}$ $\overline{}$ $\overline{}$ $\overline{}$ $\overline{}$ $\overline{}$ $\overline{}$ $\overline{}$ $\overline{}$
1 2 3 4 5 6 7 8 9

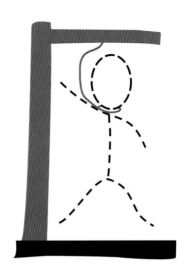

A　B　C　D　E　F　G　H

I　J　K　L　M　N　O　P　Q

R　S　T　U　V　W　X　Y　Z

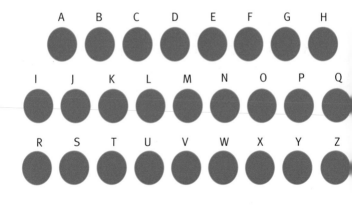

‾1‾　‾2‾　‾3‾　‾4‾　‾5‾　‾6‾　‾7‾　‾8‾　‾9‾

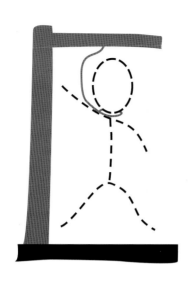

A B C D E F G H
I J K L M N O P Q
R S T U V W X Y Z

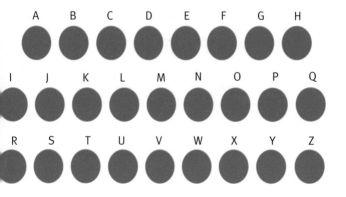

$\overline{}\ \overline{}\ \overline{}\ \overline{}\ \overline{}\ \overline{}\ \overline{}$
1 2 3 4 5 6 7

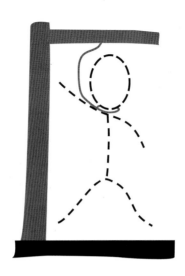

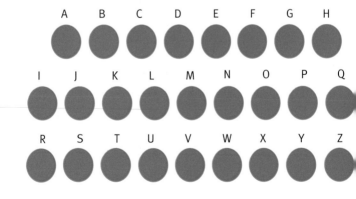

$\overline{}_1 \quad \overline{}_2 \quad \overline{}_3 \quad \overline{}_4$

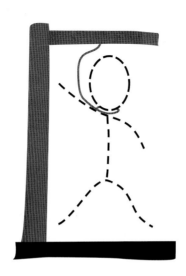

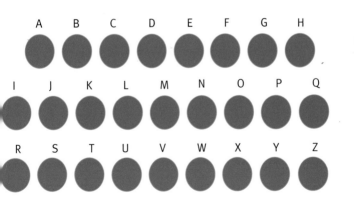

$$\overline{}_1 \quad \overline{}_2 \quad \overline{}_3 \quad \overline{}_4 \quad \overline{}_5 \quad \overline{}_6 \quad \overline{}_7 \quad \overline{}_8$$

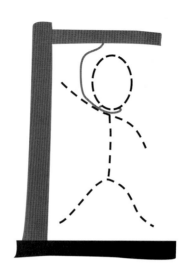

A B C D E F G H

I J K L M N O P Q

R S T U V W X Y Z

$\overline{\rule{1em}{0pt}}_{1}$ $\overline{\rule{1em}{0pt}}_{2}$ $\overline{\rule{1em}{0pt}}_{3}$ $\overline{\rule{1em}{0pt}}_{4}$ $\overline{\rule{1em}{0pt}}_{5}$ $\overline{\rule{1em}{0pt}}_{6}$ $\overline{\rule{1em}{0pt}}_{7}$

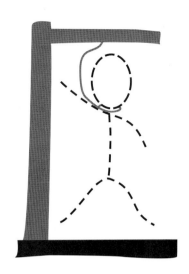

A B C D E F G H

I J K L M N O P Q

R S T U V W X Y Z

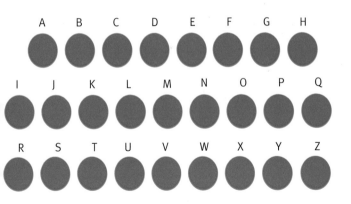

$$\overline{1} \ \overline{2} \ \overline{3} \ \overline{4} \ \overline{5} \ \overline{6} \ \overline{7}$$

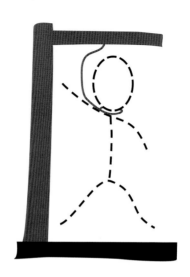

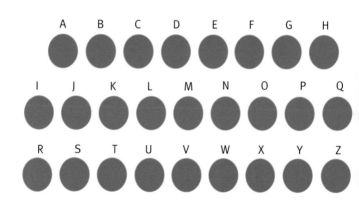

A   B   C   D   E   F   G   H

I   J   K   L   M   N   O   P   Q

R   S   T   U   V   W   X   Y   Z

$\overline{}$ $\overline{}$ $\overline{}$ $\overline{}$ $\overline{}$ $\overline{}$ $\overline{}$ $\overline{}$ $\overline{}$
1   2   3   4   5   6   7   8   9

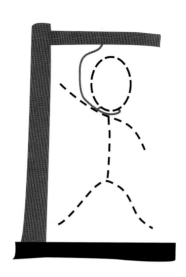

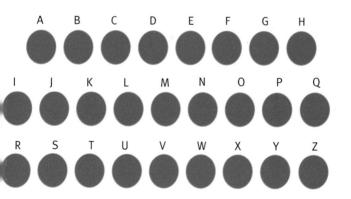

$$\overline{}_1 \quad \overline{}_2 \quad \overline{}_3 \quad \overline{}_4 \quad \overline{}_5 \quad \overline{}_6 \quad \overline{}_7$$

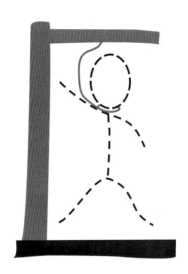

A B C D E F G H
I J K L M N O P Q
R S T U V W X Y Z

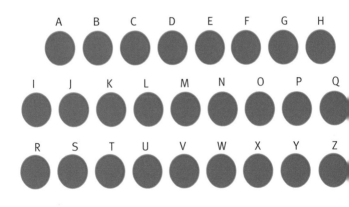

$\overline{\ \ }$ $\overline{\ \ }$ $\overline{\ \ }$ $\overline{\ \ }$ $\overline{\ \ }$
1 2 3 4 5

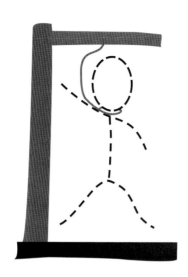

A B C D E F G H

I J K L M N O P Q

R S T U V W X Y Z

$\overline{}_1$ $\overline{}_2$ $\overline{}_3$ $\overline{}_4$ $\overline{}_5$ $\overline{}_6$

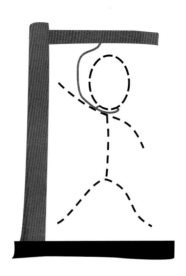

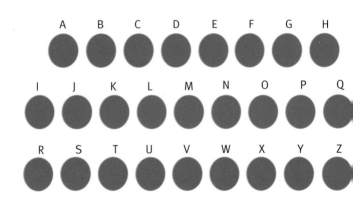

$$\overline{}_1 \quad \overline{}_2 \quad \overline{}_3 \quad \overline{}_4 \quad \overline{}_5$$

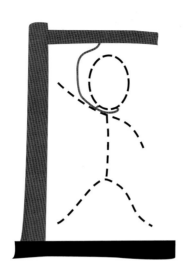

A B C D E F G H
I J K L M N O P Q
R S T U V W X Y Z

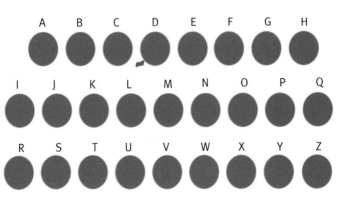

$$\overline{}_1 \ \overline{}_2 \ \overline{}_3 \ \overline{}_4 \ \overline{}_5 \ \overline{}_6 \ \overline{}_7 \ \overline{}_8 \ \overline{}_9 \ \overline{}_{10}$$

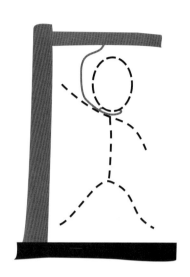

A B C D E F G H

I J K L M N O P Q

R S T U V W X Y Z

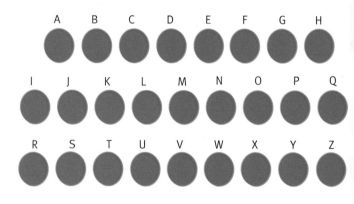

$\overline{}_1$ $\overline{}_2$ $\overline{}_3$ $\overline{}_4$ $\overline{}_5$ $\overline{}_6$ $\overline{}_7$ $\overline{}_8$ $\overline{}_9$ $\overline{}_{10}$ $\overline{}_{11}$ $\overline{}_{12}$

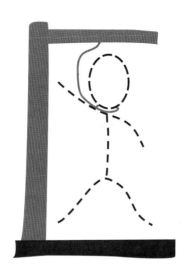

A B C D E F G H
I J K L M N O P Q
R S T U V W X Y Z

$\overline{\quad}$ $\overline{\quad}$ $\overline{\quad}$ $\overline{\quad}$
1 2 3 4

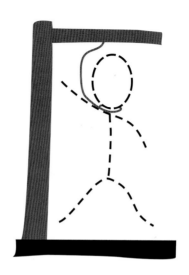

A B C D E F G H
I J K L M N O P Q
R S T U V W X Y Z

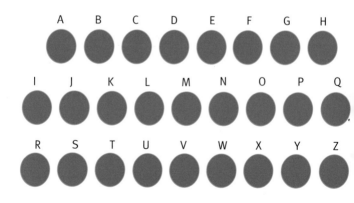

$\overline{\hspace{0.3cm}}$ $\overline{\hspace{0.3cm}}$ $\overline{\hspace{0.3cm}}$ $\overline{\hspace{0.3cm}}$ $\overline{\hspace{0.3cm}}$
1 2 3 4 5

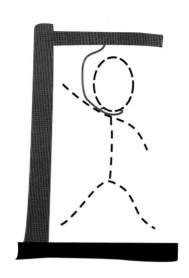

A B C D E F G H

I J K L M N O P Q

R S T U V W X Y Z

$\overline{}$ $\overline{}$ $\overline{}$ $\overline{}$ $\overline{}$
1 2 3 4 5